SOPA DE LIBROS

Título orixinal:
Morris MacMillipede. The Toast of Brussels Sprout

© Do texto: Mick Fitzmaurice, 1994
© Das ilustracións: Satoshi Kitamura, 1994
© Andersen Press Limited, 1994
© Da tradución: Liliana Valado Fernández, 2005
© Desta edición: Edicións Xerais de Galicia S. A., 2005
Doutor Marañón 12, 36211 Vigo

Primeira edición, abril 2005

Deseño: Manuel Estrada

ISBN: 84-9782-313-3
Depósito legal: VG. 420/2005

Impreso en ANZOS, S. A.
La Zarzuela, 6
Polígono Industrial Cordel de la Carrera
Fuenlabrada (Madrid)
Impreso en España - Printed in Spain

Fitzmaurice, Mick
    Morris Milpés / Mick Fitzmaurice; ilustracións de Satoshi
Kitamura; tradución de Liliana Valado Fernández. — Madrid:
Edicións Xerais, 2005
    64 p.: il. n.; 20 cm. — (Sopa de Libros; 30)
    ISBN 84-9782-313-3
    1. Superación 2. Autoestima I. Kitamura, Satoshi, il. II Valado
Fernández, Liliana, trad.
    087.5:82-3

Morris Milpés

SOPA DE LIBROS

Mick Fitzmaurice

Morris Milpés

Ilustracións de
Satoshi Kitamura

XERAIS

Tradución de
Liliana Valado Fernández

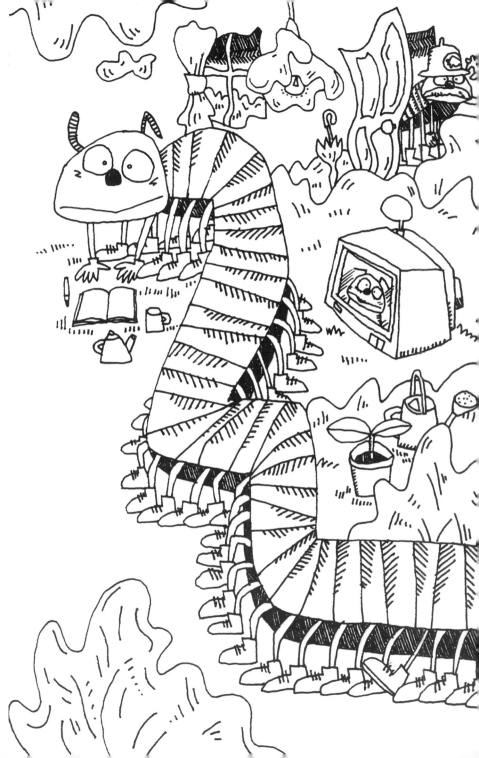

1

Morris Milpés ten oito anos
e tamén 42 pares de patas. E 42 pares
de pés. E 42 pares de tenis.
   A súa nai, Milcenturia Milpés,
le as Novas das Nove en Tele Becho
Vexo. O seu pai, Mackintosh Milpés,
é policía. Detivo as bandas dos Pulgóns
Pulgasmalas e os Chinches
Chuchacolchóns. Gracias a Mackintosh,
están a bo recado baixo chave
no cárcere de Matogueiras de Caruncho.
   Os Milpés viven na estrada
de Ruibarbo en Coles de Bruxelas,
o maior núcleo urbano de bechos
na Terra do Carreiro dos Estraloques.
   Teñen unha casa con catro cuartos
feita con follas de cabaza. O malo
é que como devecen pola cabaza,
sempre andan a dentadas coas paredes
e o chan e o teito. Mackintosh
non para de parchear as goteiras
pola chuvia.

2

Coles de Bruxelas é un lugar
marabilloso para un milpés novo.
Hai parques con tobogáns de apio
e carruseis de ravo, e por todas partes
feden gustosas quenllas. Os sábados
van todos ver as Cadelas-de-Frade-Sen-
-Rumbo, o equipo gañador da Liga
de Fútbol.

Pero nunca ides atopar a Morris
nun partido de fútbol ou xogando
cos outros rapaces. Morris ten un segredo.
Todo comezou cando foi co colexio
ver o Ballet Real de Insectos. Os seus
amigos aburríronse pero a Morris

encantoulle o teatro e os bailes
e os traxes e a música tan romántica
de Voakovsky. E sobre todo, encantoulle
a primeira bailarina, a dama
Arácnida Arañeira.

—¡Como campa, é guapísima!
—saloucou—, oxalá compartísemos
a mesma tea.

Desde ese día desexou converterse
en bailarín de ballet. Non llelo contou
nin aos seus amigos nin aos seus irmáns
porque sabía que habían rirse del.
Pero cando os outros saían xogar,
Morris quedaba na casa a bailar
co reflexo del
no espello
como parella.

3

Pero precisaba contalo, se non
llo dicía a alguén, ía estoupar. Así que
decidiu contarllo á súa nai; seguro que
ela non se ría del. Pero vaia se riu
a Sra. Milpés.

—¡Un bailarín de ballet!
—exclamou—. Dime, e logo, ¿que vai
ser o seguinte?

Termou da cabeza de Morris para
asegurarse de que seguía no seu sitio,
logo seguiu a rir escaleiras abaixo
ata a cociña para facer a cea.

A Morris esvaroulle unha bágoa
pola meixela que foi dar na alfombra.
Nunca se ía facer realidade o seu soño;
nunca ía chegar a bailar con Arácnida
Arañeira. Se ata a súa nai se ría del,
quén o ía tomar en serio.

4

Morris arrastrouse fóra da casa e andou tristeiro sen rumbo polas rúas de Coles de Bruxelas. A tarde caía e o ceo escurecía. As Arañas Executivas volvían para a casa ao saíren da oficina, ás présas para coller o tren.

—Accións de valores —comentaban entre elas—. Accións de valores.

O vento xeado entráballe polo xersei, era demasiado fino e Morris estaba conxelado. Tiña fame pero só levaba unha goma de mascar de remolacha. Sentou nun valado e mascou nela ata que quedou máis branda e rica. Logo fixo un globo con forma de corazón partido.

Deulle por pensar se a súa nai estaría a botar o de menos. Sentiuse tan triste e só que rompeu a chorar.

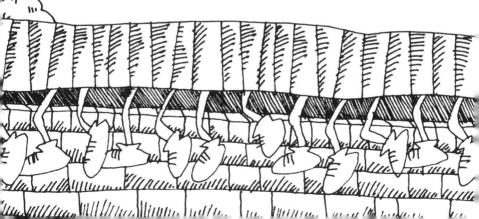

5

—¡Vaia! —dixo unha voz forte—.
Seica te sentes malpocado.

Morris ollou. Diante del había
un Escornabois con barba gris e longa.

—Se estiveses no meu lugar
—mexericou Morris— tamén te habías
sentir malpocado.

—¿E a que se debe? —preguntoulle
o vello, chuchando da pipa.

—Pois... —comezou Morris e contoulle
todo sobre o seu soño perdido.

—Que estraño —comentou
o Escornabois ao rematar Morris—.
A maioría dos rapaces queren xogar
co equipo das Cadelas-de-Frade-Sen-
-Rumbo ou dos Grilos de Inglaterra.

Todos os escaravellos novos queren ser estrelas do pop como o grupo español *Los Escarabajos*. Pero ti o que queres é ser bailarín de ballet.

—Si —afirmou Morris polo baixiño, coa esperanza de que non lle dese a risa ao vello. E así foi, non lle deu.

—Se queres facer algo malo de verdade —dixo o Escornabois—, non deberías darlle importancia ao que din os demais. E se de primeiras non triúnfas, ¿que debes facer?

—Porfiar e porfiar unha e outra vez —murmurou Morris.

—Abofé que si —seguiu o Escornabois. Logo volveu chuchar da pipa e desapareceu no medio da escuridade.

6

Ao chegar á casa, Morris xa se sentía
moito máis feliz. Non lle daría
importancia ao que pensaba a xente;
porfiaría e porfiaría unha e outra vez.
Tomou un saboroso té de coles podres
e tomate espremido e meteuse na cama
a pensar. Dun xeito ou doutro ía ter
que pagar as zapatillas de ballet
e as clases de baile; pero no seu peto

só quedaba unha pastilla de chocolate
con mofo.
¿Que podía argallar? Quedouse
mirando tristeiro cara á parede
empapelada con xornais e ringleiras
de nabos azuis repartidos tamén por todo
o teito. Daquela, de súpeto, ocorréuselle
unha idea. Xornais... repartidos...
Era unha idea tan boa que puxo
o espertador para as cinco
da mañá, puxo os 84 pés
á calor das 84 botellas
de auga quente e quedou
durmido deseguido.

7

Ás cinco, Morris escorregou fóra
da cama. Era noite e ía frío
e a marabillosa idea do día anterior
xa non semellaba tan marabillosa. Pero
non ía renderse.
Puxo catro xerseis e botou a correr
pola Estrada de Ruibarbo cara ao
quiosco do Sr. D'Avespa. Vira o anuncio
na fiestra onte.

PRECÍSASE MOZO OU MOZA
ESPELIDO PARA REPARTIR
XORNAIS

Morris empurrou a porta para entrar.
Estábase quentiño dentro.
—Seica ezzz Morrizzz —zuniu
o Sr. D'Avespa—. Dime, ¿en que podo
axudarte?
—Busco traballo —contestou Morris.

8

Comezou a traballar á mañá seguinte
ás cinco e media. Había humidade
e néboa, e a mochila cos xornais pesaba
tanto coma el mesmo. Pero non se queixou;
limitouse a ir cambaleando polas rúas de
Coles de Bruxelas para entregar As Novas
do Verme e O Caracol Diario. Sen deixar
de pensar na dama Arácnida.

Merecera a pena todo isto cando
o sábado o Sr. D'Avespa lle deu dez libras
soltas en man.
—Aquí tes a paga —zumbou.
Morris marchou correndo para a casa
e meteu o diñeiro nunha vella lata
de galletas baixo a cama.

Durante os meses seguintes, a Morris déronlle ganas máis dunha vez de dar a media volta e seguir durmindo cada vez que lle soaba o espertador. Pero miraba debaixo da cama como aumentaba máis e máis a lata de galletas e botábase de novo ás rúas afrontando o duro frío.

En Noitevella decidiu que xa era hora de contar os seus aforros. Botou as moedas por riba da alfombra... había 120 libras. ¡Tiña dabondo! ¡Mañá iría de compras!

9

Coa lata apertada entre as mans,
Morris pegou o nariz contra
o escaparate da tenda. Quedou pampo
pero non vaiades pensar que diante
dos soldadiños ou dos trens
de xoguete, senón dunha ringleira
de zapatillas de ballet moi feitiñas
de cor rosa.
Empurrou a pesada porta para entrar.
Andeis de madeira escura subían ata
o teito; as paredes estaban ateigadas
de fotografías amareladas de bailarinas
de ballet. Todo na tenda semellaba vello
e o dono non ía ser menos; era
un Tataravó Saltón que arrastraba
os pés ao achegarse desde o cuarto
traseiro.
—¿En que podo axudarte?
—preguntou con voz sibilante mentres
examinaba a Morris a través
da montura de ouro dos seus anteollos.
—Quero 42 pares de zapatillas
de ballet, por favor —contestou Morris.
—¡Iso hache bastar para toda
unha escola! —exclamou o vello.

—Si, pero son todas para min
—engadiu Morris, ao tempo que
sinalaba os 84 pés.
O Tataravó Saltón contou
as zapatillas.
—Aquí as tes, mozo. Son 84 libras.
Morris deulle o diñeiro, logo marchou
correndo para a casa e subiu dereitiño
á súa habitación. Levoulle anos atar
todos os lazos pero ao final
conseguiuno. Mirouse no espello
e non daba creto ao que vía.
—Morris Milpés —murmurou todo
digno—, agora si que pareces
un auténtico bailarín de ballet.

10

A Escola de Ballet estaba a medio
camiño pola Avenida Cebola. Morris
estaba nervioso, entrou e atopou
unha porta onde puña

MADAMA BOLBORETA

Empurrou para entrar. A madama
Bolboreta, ou Butterfly como prefería
que a chamasen, estaba no sofá envolta
en sedas vaporosas de cores vermellas
e azuis e amarelas.

—Quero apuntarme ás súas clases
de ballet —soltou Morris cortado.

—¡Vaia! —comezou—. ¡Un milpés
nunha clase de ballet! ¡Pregúntome qué vai
ser o seguinte!

Por un momento, Morris pensou que ía
rirse del, pero colleulle os cartos
sen parvadas e díxolle
que fose cambiarse.

11

Cando empurrou a porta do vestiario,
os outros rapaces deixaron de falar
e quedaron mirándoo. Melania Efémera
tiraba polas coletas.

—E logo, ¿que andas a facer
por aquí? —dixo con mofa—. Os milpés
non poden bailar.

Todos botaron a rir e a Morris
déronlle ganas de saír correndo. Pero
apertou con forza os beizos e abriu
os ollos ata non poder máis para non
chorar. Logo púxose a atar as zapatillas.

—¡Vaia zoupón estás feito!
—amolábao Melania Efémera—. A clase
vai estar rematada incluso antes
de que acabe de vestirse.

Sacáballe a lingua a Morris e batía
as ás no espello.

—¿A que son unha beleza?
—saloucaba.

Cando Morris tan só atara catro pares
de zapatillas, os outros xa estaban listos
e saíron correndo do vestiario. El tivo
que quedar só. Escoitou a música;
a clase comezaba sen el e aínda lle
restaban 38 pares de zapatillas por atar.

Tentou bulir pero os dedos non lle ían
máis rápido; o único que conseguiu foi
enmarañalo todo. Pasara xa case media
hora cando á fin estivo listo. E entrou
todo apoucado sobre as puntas dos pés
na sala para meterse na clase.

12

A sala era ampla e co teito alto,
e todas as paredes estaban cubertas
por espellos. Os nenos estaban
en ringleiras fronte á madama Bolboreta,
que estaba sentada nun piano xigantesco.
—¡Chegas tarde! —rifoulle cando
Morris entrou. Pero antes de que puidese
explicarlle o dos lazos, retomou a clase.

—Déixame ver como saltas —díxolle.
Morris desanimouse ao ver os nenos
dando chimpos compasados no aire,
flotando coas ás para despois pousarse
con moito aquel no chan. Nunca ía ser
quen de facer o mesmo. Pero lembrou
as palabras do vello Escornabois e fíxoo
o mellor que sabía. Saltou coa dianteira,
saltou co do medio, pero non puido
saltar con todo o corpo dunha soa vez.
Seica semellaba que os milpés,
en definitiva, non estaban deseñados
para saltar.
—Vas ter que facelo mellor ca iso
—murmurou a madama Bolboreta.
Pero Morris non foi quen de facelo
mellor. ¡Oxalá tivese ás!

¡Oxalá non tivese tantas pernas!
Foi un comezo espantoso
pero aínda peor foi o resto.

—Agora déixame ver como xiras
—pediulle a madama Bolboreta.

Os nenos sostíñanse nunha soa perna
batendo as ás e facendo círculos
perfectos. Nin sequera merecía a pena
que Morris o tentase.

Baixou a cabeza e escorregou fóra
da sala. Non volvería nunca máis
e o corazón non ía deixar de doerlle.

13

Pero esa noite Morris soñou co vello
Escornabois e espertou avergonzado
por renderse tan axiña. Volvería.
Porfiaría e porfiaría unha e outra vez.
Que rían o que queiran.
E abofé que volveu. Os outros nenos
rían, a madama Bolboreta saloucaba
e rifaba, pero Morris non facía caso.

Cada semana esforzábase ao máximo
e aínda que seguía sendo un zoupón,
melloraba un pouco de cada vez.
E ao final, incluso Melania Efémera
cansou de rir e deixouno en paz.

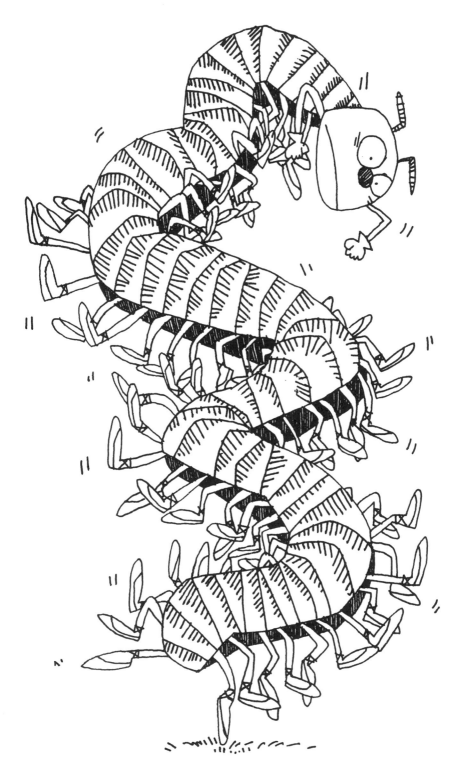

14

—O noso Festival de Semana Santa
é dentro de catro semanas —anunciou
a madama Bolboreta un día—.
Representaremos *A Bela Durminte.*
¡É unha historia marabillosa! O Feo
Verme dorme nun casulo durante
cen días para converterse logo
na Bela Bolboreta.

Melania Efémera ía ser a Bela
Bolboreta, claro está, e Martín Couza
ía ser o aposto Príncipe. Todos levaron
un papel —todos agás Morris—.
Mentres os outros parolaban
emocionados, el permanecía enroscado
tristeiro nun recuncho. Fixérao o mellor
que puido, pero non valera de moito.

Á madama Bolboreta deulle pena.
Era o peor alumno que tivera,
pero se cadra...

—¡Morris! —chamouno—. Achégate,
teño un papel para ti. Quero que sexas
o Feo Verme.

15

O papel de Morris era pequeno
pero moi importante. Tiña que xirar
atravesando o escenario dentro
dun casulo de seda inmenso;
a continuación, Melania Efémera
aparecía do outro lado do escenario
xirando como a Bela Bolboreta. Era
moi difícil e sempre acababa mareado.

Pero practicou e practicou ata que case
o daba feito.
A Sra. Milpés fíxolle o traxe
de Feo Verme e toda a familia e mais
os seus amigos mercaron entradas.
A medida que o concerto se achegaba,
Morris estaba tan emocionado que case
non podía concentrarse no colexio.
Sempre tiña problemas coa súa
profesora, a Srta. Piolla.

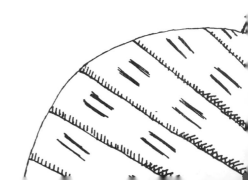

16

Á fin chegou o gran día. Baixaron
as luces na sala, fíxose o silencio entre
o público, a madama Bolboreta tocou
as primeiras notas no piano, logo o pano
subiu e Martín Couza deu comezo
ao ballet.

Media hora despois, chegou o gran
momento no que Morris tiña que xirar
dentro do casulo. A madama Bolboreta
tocou con moito brío e Morris apareceu
xirando polo escenario. Todo ía como a
seda e canto máis se aproximaba ao outro
lado do escenario, máis pensaba nos
aplausos que de seguro axiña ía recibir.
Pero iso foi un grande erro porque lle
supuxo deixar de pensar nos xiros. A súa
dianteira comezou a xirar máis rápido
cá súa traseira e o longo e zoupón corpo
enroscóuselle como unha espiral.

—¡Coidado! —berrou Martín Couza.
Demasiado tarde.

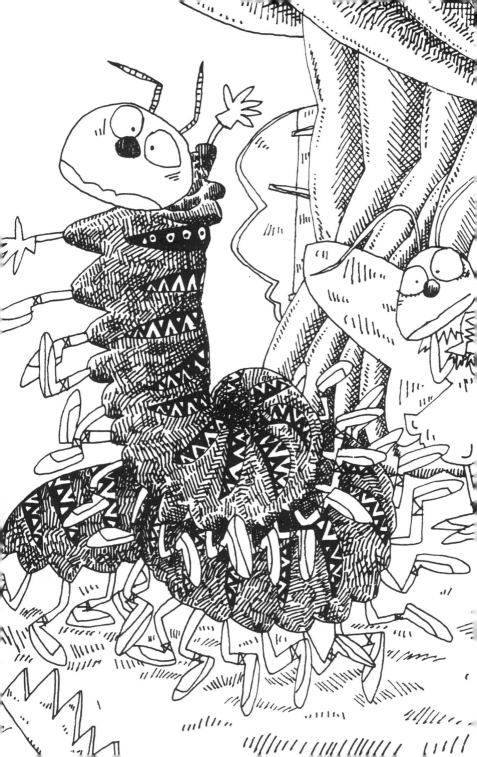

A espiral desenroscouse e Morris púxose a dar voltas por todo o escenario. Guindou a Martín Couza contra o piano, guindou a Melania Efémera contra o público, guindou o decorado contra a cabeza da madama Bolboreta. Despois quedou escarranchado entre o escenario e o corredor, aterrando de golpe na entrada principal da escola.

17

Morris tiña contusións por todo
o corpo e a cabeza non deixaba
de darlle voltas. Pero o que se facía
máis insoportable era o eco constante
daquelas risas. Fixera de novo
o ridículo.

Saíu correndo da escola e non parou
ata chegar ao Río Goteo. Desde a Ponte
Cenoria, quedouse mirando cara
abaixo, cara á auga escura. Sentíase tan
deprimido que tiña ganas de tirarse.
Non obstante a cambio guindou
as zapatillas de ballet, os 42 pares.
Flotaban arredándose a través da noite,
levando os soños de Morris con elas.

—Veña, mozo —escoitou unha voz
forte. Era o vello Escornabois,
chuchando da pipa—. Cóntame
qué pasa.

Morris contoulle toda a triste historia.

—Así que como podes ver, porfiei
e porfiei unha e outra vez.

—Abofé que si —admitiu o
Escornabois—. Pero sabes, meu rei,
os milpés simplemente non están
deseñados para bailar ballet. Teñen
demasiadas patas.

Morris non entendía nada; se iso era o
que pasaba, ¿por que o animara o vello?

—Pero agora que sei que non te
rendiches decontado, vouche dicir para
que están deseñados os milpés
—engadiu o Escornabois.

Inclinouse e murmuroulle algo
no oído a Morris, tan baixiño que era
imposible oír qué lle estaba a dicir. Pero
fixo tan feliz a Morris que se puxo
a aplaudir e bailou unha xiga ao redor
do vello.

18

Ao serán seguinte, Morris saíu despois de tomar o té e volveu dúas horas despois cun gran sorriso na faciana. Cando a súa nai lle preguntou a que andara, só lle contestou:

—Xa o verás.

E dixo exactamente o mesmo cada sábado durante os seis meses seguintes.

Un día, chegou á casa e desenrolou un póster amarelo brillante.

TEATRO
A LARANXA

PRESENTA
A MORRIS MILPÉS
O MILAGRE

Sábado 30 de setembro ás 20.00

—¿Que demo andas a argallar? —preguntoulle o seu pai.

—Ven e veralo —contestou Morris.

—A última vez que fomos verte —engadiu a súa nai, convertícheste no parvo de Coles de Bruxelas.

Pero os seus pais accederon a ir. E os seus irmáns e mais todos os seus amigos mercaron as entradas —non querían perder o Morris a facer de novo o ridículo.

19

Era o sábado 30 de setembro.
Os Milpés foron no seu Ford Plátano
ata o teatro. Había unha morea
de xente, todos viñeran ver a Morris
e esperaban poder rirse del.

Ás oito en punto, baixaron as luces,
o pano subiu, e baixo a luz dos focos
apareceu Morris, que levaba chistera
e frac. ¿Que iría facer?

O director ergueu os brazos,
a orquestra marcou o ritmo, e Morris
comezou a... BAILAR CLAQUÉ.

Clac, clac, clac, co seu pé esquerdo.
Clac, clac, clac co dereito.
Clac-clac-clac-clac-clac-clac-clac-clac-
*-clac-clac-clac-clac-clac-clac-*CLAC.

Os dedos dos violinistas voaban,
o pianista semellaba ter un cento
de mans. Pero ningún era comparable
a Morris Milpés, o Milagre.

Ao final do espectáculo, o público
aplaudiu e aclamou e tirou flores.
E o mellor de todo foi que nin unha soa
persoa de todo o teatro se riu del.

20

Houbo unha festa formidable
no camerino de Morris aquela noite;
todo o mundo quería ir e darlle
os parabéns.

—¡Ben feito! —exclamou o vello
Escornabois—. Si que porfiaches
e porfiaches unha e outra vez.

—Débocho todo a ti —admitiu
Morris mentres lle daba unha aperta
ao vello.

—Débesllo a todas as túas patas
—riu o Escornabois.

Os irmáns de Morris e mais os seus
amigos case non daban creto ao que
pasara.

—Viñemos rirnos de ti —admitiron—.
Pero ao final aclamámoste.

A madama Bolboreta deulle un bico
en cada meixela.

—¡Meu querido! —saloucou—. ¿Seica
non che dixen sempre que algún día
ías acabar sendo un bailarín famoso?

Pero Morris estaba demasiado
contento como para lembrarlle o que ela
lle dixera en realidade.

21

Á mañá seguinte, os xornais
estaban ateigados de fotos de Morris
e o teléfono non deixaba de soar
nin un só minuto en todo o día. Todos
os teatros do país querían que actuase
para eles. Cada vez que actuaba supuña
un éxito maior e axiña deron
en chamalo Morris Milpés, o fillo
predilecto de Coles de Bruxelas.
Tiña cartos coma follas e mercou
unha casa no Outeiro dos Apios
onde vivían todas as xentes famosas.

Xa non podía ser máis feliz. Ou polo
menos iso era o que pensaba
ata que un día soou o teléfono.

—Diga —contestou Morris.

—Ola, Sr. Milpés, chámoo do Teatro
da Caixa de Laranxas. A dama
Arácnida Arañeira está a facer
os ensaios para un novo ballet,
no que un bailarín de claqué
desempeñará o papel principal.
Nós estabamos a preguntarnos...

Índice

Escribiron  e debuxaron…

Mick Fitzmaurice

Mick Fitzmaurice é escritor, colaborador en diversas revistas inglesas e mestre. Morris Milpés *é o seu primeiro libro destinado ao público infantil. Tamén ten dirixido obras de teatro para nenos. ¿Esta dedicación influíu dalgunha maneira neste libro?*

—Por suposto. Dirixir obras de tatro para un público infantil ou que os actores sexan nenos e nenas, deume a idea da secuencia da representación, onde van os pais, os amigos de Morris... É moi semellante ao que ocorre na vida real, cando calquera neno ou nena participa nunha obra de teatro, nun coro ou nos bailes escolares.

—*Morris e as súas peripecias para ser bailarín, ao igual que* Oliver Button es un nena, *de Tomie de Paola, publicado en España hai xa uns anos, tratan sobre o desexo de bailar dun milpés, neste libro, e dun cati-*

vo, no caso de Oliver Button, un desexo que se ve enfrontado ás opinións do demais. ¿É un tema para tratar na literatura infantil?

—Verdadeiramente non o sei. Talvez non sexa tanto o feito concreto de querer bailar, senón o feito de que a todos, non só aos nenos, senón tamén aos adultos, nalgún momento, a vida nos pon nunha situación na que as nosas decisións chocan cos demais, sexa polo motivo que sexa. En *Morris Milpés* algo hai disto.

—*En efecto, neste libro, formula ese dilema, malia as opinións en contra, Morris segue adiante, pero vostede trátao con moito humor. ¿Considera importante o ton de humor?*

—Si, é moi importante. A vida, coma o teatro, ten ese compoñente cómico que nunca hai que perder de vista. Creo que os pequenos tampouco deberían facelo.

Satoshi Kitamura

Satoshi Kitamura naceu en 1956 en Tokio. Desde moi novo comezou a ler cómics, afección que el mesmo recoñece que foi importante no seu estilo. *Ademais do cómic, ¿que outras influencias recibiu?*

—Efectivamente, o cómic foi unha gran influencia, pero tamén calquera elemento visual, desde unha curiosa larta de sardiñas ata a máis exquisita obra de arte occidental, sen esquecer a pintura tradicional xaponesa.

—É vostede autor e ilustrador das súas propias historias. Centrándonos na súa faceta de ilsutrador, ¿como comezou no mundo da ilustración?

—Antes de me dedicar á ilustración de libros infantís, traballei como ilustrador para revistas e anuncios publicitarios en Xapón. Cando me trasladei a Londres, en 1979, púxenme a deseñar tarxetas de felicitación. O meu primeiro traballo como ilustrador de libros para nenos xorde en 1981, coa editorial Andersen Press, que me ofrece FernandoFurioso, de Hiawyn Oram, un texto que me pareceu fantástico. De feito, temos publicado xuntos máis libros.

—Morris Milpés *é unha mostra do seu traballo de ilustración. ¿Que salientaría das súas ilustracións como contribución ao texto?*

—*Morris Milpés* trata o tema da identidade e a superación das dificultades para acadar o que se desexa. Pero preséntase desde un punto de vista desdramatizado, nun ton moi divertido. A miña intención foi que nas ilustracións se reflectise ese humor.